PAULINA
est réfléchie et
responsable.
Elle devient parfois
comme une seconde
mère pour ses amies.

Violette
est l'intellectuelle du
groupe. Elle trouve
toujours la solution, même
aux problèmes les plus
compliqués!

À tous les printemps sur
l'*île des Baleines*,
les vannes du barrage au
sommet de la montagne
sont ouvertes pour que l'eau
puisse ranimer la rivière
qui traverse
les bois.

Téa Stilton

LE SECRET DE LA CHUTE DANS LES BOIS

ÉDITIONS origo

À l'origine d'une belle aventure!

Texte de Téa Stilton.
Supervision de projet par Alessandra Berello *(Atlantyca S.p.A.)*.
Scénario de Francesco Savino *et* Leonardo Favia.
Illustrations de Ryan Jampole.
Couleurs par Mindy Indy *avec l'assistance de* Matt Herms.
Lettrage par Wilson Ramos, Jr. *et* Grace Lu.

Illustrations de couverture par Ryan Jampole *(dessin) et* JayJay Jackson *(couleurs)*.

*Basé sur une idée originale d'*Elisabetta Dami

© 2015 Atlantyca S.p.A. – via Leopardi 8, 20123 Milano, Italia – foreignrights@atlantyca.it - www.atlantyca.com
© 2016 – Pour cette version française par Les Éditions Origo

Titre original : THE SECRET OF THE WATERFALL IN THE WOODS
Publié par Papercutz, 160 Broadway, Suite 700, East Wing, New York, NY 10038 (version originale anglaise)
Traduction par Neijib Bentaieb

www.geronimostilton.com

Édition canadienne
Les Éditions Origo
Boîte postale 4
Chambly (Québec) J3L 4B1
Canada
Téléphone : 450 658-2732
Courriel : info@editionsorigo.com

978-2-923499-68-0

Imprimé au Canada
Gouvernement du Québec – Programme de crédit d'impôt pour l'édition de livres – Gestion SODEC

SUR L'*île des Baleines*, IL SE PRODUIT QUELQUE CHOSE D'ÉTONNANT ENTRE LA FIN DE L'ÉTÉ ET LE DÉBUT DE L'AUTOMNE!

LES VANNES DU BARRAGE AU SOMMET DE LA MONTAGNE SONT OUVERTES POUR QUE L'EAU PUISSE S'ÉCOULER DANS LES CHUTES ET RANIMER LA RIVIÈRE QUI TRAVERSE LES BOIS.

LORSQUE CELA SE PRODUIT, LES ÉTUDIANTS DU COLLÈGE DE RAXFORD PARTENT EN EXCURSION À TRAVERS LA FORÊT ET TERMINENT LE TOUT AVEC UN PIQUE-NIQUE DANS UNE PRAIRIE, OÙ ILS REGARDENT L'OUVERTURE DU BARRAGE.

L'EXCURSION EST POUR LE LENDEMAIN ET LES ÉTUDIANTS FONT DE LEUR MIEUX POUR TOUT PRÉPARER.

MIAM... DES SANDWICHES!

J'EN AI PRÉPARÉ DE DIFFÉRENTS TYPES! LORSQUE NOUS ARRIVERONS À LA PRAIRIE, NOUS SERONS AFFAMÉS!

J'AI TRÈS HÂTE! CE SERA AMUSANT DE MANGER ENSEMBLE APRÈS CETTE EXCURSION DANS LA FORÊT.

OUI... DOMMAGE QUE ÇA NE SOIT QU'UN JEU POUR CERTAINES PERSONNES.

NE ME DIS PAS QUE TU AS PEUR DE LA COURSE DE DEMAIN, VIC!

EN FAIT, TU AS PEUT-ÊTRE UNE TOUTE PETITE CHANCE, CRAIG...

AH! C'EST PARCE QUE TU SAIS QUE JE SUIS PLUS ATHLÉTIQUE QUE TOI?

NON, C'EST PARCE QUE JE SAIS QUE CE N'EST PAS UNE COURSE...

PRÉPARE-TOI À VOIR LES CHUTES DE LOIN DERRIÈRE MOI, NOVICE!

IL EST SI IMBU DE LUI-MÊME...

AVEZ-VOUS VU CELA? VIC EST SI CHARMANT!

JE NE COMPRENDS PAS DU TOUT CET INTÉRÊT POUR UNE EXPÉDITION ENNUYEUSE! HEUREUSEMENT, JE SERAI TRANSPORTÉE À LA PRAIRIE DANS L'HÉLICOPTÈRE DE MAMAN.

OUAIS... REGARDEZ, LES COINCÉES FLÂNENT AUTOUR DE LA FONTAINE!

ÇA C'EST COOL, VANILLA!

WOW!

5

« C'EST PROFESSEUR VAN KRAKEN! »

PROFESSEUR, QUE S'EST-IL PRODUIT?

ÊTES-VOUS OK? DITES-NOUS CE QU'IL S'EST PASSÉ!

⇴ PUFF... ⇴
⇴ PUFF... ⇴

J'AI VU QUELQUE CHOSE DE TERRIBLE, LES FILLES.

« JE SUIS ALLÉ DANS LA FORÊT CE MATIN POUR M'ASSURER QUE TOUT SOIT PRÊT POUR NOTRE EXCURSION DE DEMAIN. »

« LORSQUE SOUDAINEMENT... »

GROOOWL!

PENDANT CE TEMPS, PERSONNE NE SE DOUTE QUE SUR L'AUTRE CÔTÉ DE LA MONTAGNE, VISSIA DE VISSEN PRÉPARE LES DERNIERS DÉTAILS DE SON PLAN POUR DEVENIR PLUS RICHE ET PLUS CÉLÈBRE!

LORSQUE LE MAIRE DE L'*île des Baleines* M'A DONNÉ L'AUTORISATION DE CONSTRUIRE CET HÔTEL, IL NE POUVAIT CERTAINEMENT PAS SAVOIR CE QUE J'AVAIS EN TÊTE...

C'EST PRESQUE PRÊT MAINTENANT, DEMAIN SERA LE GRAND JOUR!

VANILLA, CHÉRIE... DIS-MOI QUE TU AS DE BONNES NOUVELLES À RAPPORTER À TA MÈRE!

OH, OUI... JE SUIS CERTAINE QU'AVEC TES TALENTS, TU SAURAS EN FAIRE BÉNÉFICIER LA FAMILLE DE VISSEN...

UN OURS, TU DIS? NOUS POUVONS TOURNER CELA À NOTRE AVANTAGE...

NON PAS QUE CE SOIT NÉCESSAIRE... TOUT EST PRÊT POUR MON GRAND SUCCÈS DE DEMAIN.

MAIS SI ON PEUT EMBÊTER UN PEU LES AUTRES, POURQUOI PAS?

CE NE SERA PAS FACILE... ILS ONT CONTACTÉ **DOCTEURE OLLY**, LA VÉTÉRINAIRE DE L'ÎLE. ELLE VOUDRA LES AIDER!

« ÇA N'A PAS D'IMPORTANCE MA CHÈRE... UN RIEN CRÉERA LA PANIQUE! »

AINSI, ILS RACONTENT À DOCTEURE OLLY CE QU'IL S'EST PASSÉ...

HMM... IL EST TRÈS ÉTRANGE QU'UNE FAMILLE D'OURS AILLE SI LOIN DANS LA FORÊT... DE PLUS, IL EST DIFFICILE À CROIRE QU'ILS AIENT UN COMPORTEMENT AGRESSIF, À MOINS QUE CE SOIT POUR PROTÉGER LEURS PETITS...

JE NE VOULAIS PAS CAUSER TOUT CELA... JE N'ÉTAIS MÊME PAS SI PRÈS!

JE SAIS, IAN. D'APRÈS CE QUE TU M'AS DIT, L'OURSON ÉTAIT DÉJÀ BLESSÉ QUAND TU L'AS VU...

NOUS DEVONS ALLER DANS LA FORÊT ET AIDER CETTE FAMILLE D'OURS!

LES FILLES ONT RAISON! REPOSE-TOI ICI, IAN... JE POURRAI COMPTER SUR CES ASSISTANTES COMPÉTENTES!

CE SERA UNE AVENTURE RAT-TAS-TIQUE!

CES ANIMAUX SONT UN DANGER POUR TOUTE L'ÎLE! VOUS DEVEZ LES ATTRAPER AVANT QU'ILS NE S'APPROCHENT DAVANTAGE ET QU'ILS VIENNENT DANS LE VILLAGE!

CE SONT LES OURS QUI SONT EN DANGER, VANILLA... QUELQU'UN A DÛ LES ATTAQUER...

LES FILLES, VANILLA AGIT DE FAÇON SUSPECTE!

PAULINA, COLETTE... JE PENSE QUE CE SERAIT MIEUX SI VOUS RESTIEZ ICI POUR GARDER UN ŒIL SUR LES CHOSES.

JE SUIS D'ACCORD AVEC TOI. JE NE VOUDRAIS PAS QUE CETTE INTIMIDATRICE TIRE AVANTAGE DE LA SITUATION!

QUELLE CHANCE! J'AI ENCORE PLEIN DE PRODUITS DE BEAUTÉ À AJOUTER À MA TROUSSE!

HA! HA! COLETTE... TU ES INCORRIGIBLE!

DE QUOI CES FILLES COINCÉES SONT-ELLES EN TRAIN DE RIRE?

POURQUOI NE TE RELÂCHES-TU PAS UN PEU, SŒURETTE? TU COMPRENDS CE QUE JE VEUX DIRE? JE PENSE MÊME QUE JE VAIS LES REJOINDRE!

QUOI?!

VIC ET PAMELA DANS LES BOIS? ILS PASSERONT BEAUCOUP DE TEMPS SEULS ENSEMBLE!

EXCELLENT! BIENVENUE À BORD, VIC!

AINSI, LE GROUPE S'AVENTURE DANS LES BOIS
DE L'*île des Baleines*... LE PAYSAGE À
COUPER LE SOUFFLE LEUR FAIT OUBLIER LEUR
MISSION POUR UN MOMENT...

« REGARDEZ, IL Y A UN SAC DE CIMENT PRÈS DE L'OURSON! QU'EST-CE QUE ÇA FAIT LÀ? »

JE DOIS M'EN APPROCHER POUR TRAITER SA PATTE...

LES FILLES, DOCTEURE OLLY, VENEZ VOIR PAR ICI!

JE CROIS QUE NOUS AVONS UNE RÉPONSE...

JE NE PEUX PAS Y CROIRE... QUI AURAIT PU FAIRE UN TEL GÂCHIS!

IL N'Y A QU'UNE FAÇON DE LE SAVOIR!

ATTENTION, VIC!

NE ME DIS PAS TU AS PEUR, PAM! OU PEUT-ÊTRE QUE TU T'INQUIÈTES POUR UN CERTAIN DE VISSEN?

MOI? APEURÉE?! JE VAIS TE MONTRER!

JE VOUS AI DIT QUE NOUS DEVIONS ÊTRE PRUDENTS! J'ESPÈRE QUE CES SACS DE CIMENT NE SONT PAS OUVERTS! OU MME DE VISSEN VOUDRA NOUS FAIRE PAYER!

SHHHH!

PENDANT CE TEMPS, AU **Collège Raxford**, PAULINA ET COLETTE DÉCOUVRENT QUE LEURS CRAINTES ÉTAIENT BIEN FONDÉES...

PAULINA, VIENS VITE VOIR!

JE SAVAIS QU'ON NE POUVAIT PAS FAIRE CONFIANCE À VANILLA...

COLETTE, PEUX-TU BIEN ME DIRE CE QU'IL SE PASSE?

VOIS PAR TOI-MÊME!

MES AMIS DE RAXFORD, NOUS DEVONS AGIR!

LES OURS DOIVENT ÊTRE CAPTURÉS ET EMMENÉS LOIN D'ICI! TOUTE L'ÎLE EST EN DANGER! QUE SE PASSERA-T-IL LORSQUE CES ANIMAUX VIENDRONT EN ville?

VANILLA A RAISON!

OUI! C'EST VRAI!

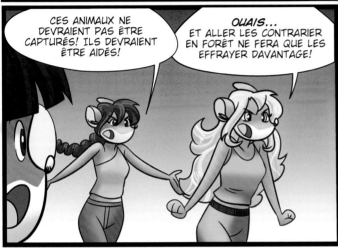

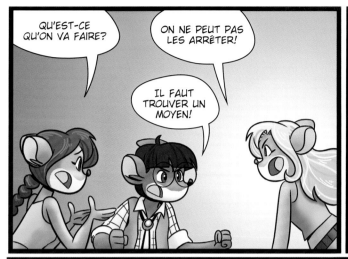

LABORATOIRE DE BIOLOGIE MARINE DU PROFESSEUR IAN VAN KRAKEN.

UTILISER MON HÉLICOPTÈRE? C'EST UNE EXCELLENTE IDÉE!

NON LOIN DE LÀ, LES CHOSES SONT CEPENDANT SUR LE POINT DE PRENDRE UNE MAUVAISE TOURNURE...

JE CROIS QUE LA MÈRE OURSE A SENTI QUE DOCTEURE OLLY EST PRÈS D'ICI.

J'ESPÈRE QUE DOCTEURE OLLY A BIENTÔT TERMINÉ. NOUS SOMMES PRESQUE À COURT DE FRUITS!

REGARDE, VIOLETTE!

ILS RETOURNENT À L'OURSON BLESSÉ!

NOUS DEVONS NOUS DÉPÊCHER!

OH!

HÉ, HÉ! PAR ICI LES FILLES! IL N'Y A RIEN À CRAINDRE MAINTENANT!

HA! HA! CE SONT DE GROS COQUINS!

ILS NOUS REMERCIENT À LEUR FAÇON!

J'ESPÈRE QUE TOUT VA BIEN POUR PAMELA ET VIC!

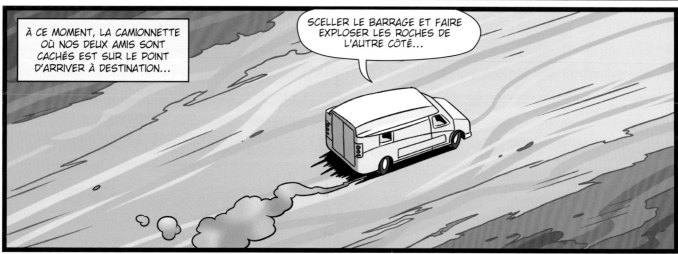

À CE MOMENT, LA CAMIONNETTE OÙ NOS DEUX AMIS SONT CACHÉS EST SUR LE POINT D'ARRIVER À DESTINATION...

SCELLER LE BARRAGE ET FAIRE EXPLOSER LES ROCHES DE L'AUTRE CÔTÉ...

QUI PENSERAIT À FAIRE QUELQUE CHOSE DU GENRE?

ON EST PAYÉ POUR SUIVRE LES ORDRES...

ET LE PATRON A DIT QUE MME DE VISSEN PAIE TRÈS BIEN! IL FAUT ÊTRE PLUTÔT RICHE POUR CHANGER LE COURS D'UNE RIVIÈRE.

DE TOUTE FAÇON, NOUS AVONS PRESQUE TERMINÉ.

ILS BOUGENT LES BARRIÈRES. VAS-Y.

ALLEZ, DÉCHARGEONS CES SACS DE CIMENT!

CACHONS-NOUS DERRIÈRE LES SACS...

CLIC

HÉ, AS-TU ENTENDU CELA? QUEL ÉTAIT CE BRUIT?

FUP FUP FUP

UN HÉLICOPTÈRE?!

RÉALISEZ-VOUS CE QUE VOUS FAITES? VOUS DÉTRUISEZ UNE PARTIE DE NOTRE HÉRITAGE NATUREL!

HÉ, CALME TES ACCUSATIONS! ON NE FAIT QU'EMPÊCHER LE BARRAGE D'OUVRIR DU CÔTÉ ATTENDU DE TOUS...

BIEN SÛR, SI LES ROCHES DE L'AUTRE CÔTÉ VENAIENT À EXPLOSER, CE NE SERAIT QU'UNE COÏNCIDENCE... ET HEUREUSEMENT, L'EAU S'ÉCOULERAIT DANS NOS CANAUX DE CIMENT...

C'EST ASSEZ! JE VAIS VOUS DÉNONCER IMMÉDIATEMENT AUX AUTORITÉS DE L'ÎLE DES BALEINES!

VOUS NE FEREZ RIEN DU TOUT...

ATTRAPEZ-LES, LES GARS!

QUOI?! VOUS NE POUVEZ PAS FAIRE CELA!

TAIS-TOI!

ARRÊTEZ, VOYOUS! VOUS RUINEZ MA *COIFFURE!*

VOYONS VOIR SI TU FAIS ENCORE LE PETIT MALIN LÀ-DEDANS.

GRRR... VOUS SEREZ ATTRAPÉS ET LES CHOSES IRONT TRÈS MAL POUR VOUS!

AH, OUI? PERSONNE N'A PORTÉ ATTENTION À CE CHANTIER DE CONSTRUCTION PENDANT DES SEMAINES...

MME DE VISSEN A VRAIMENT PENSÉ À TOUT! VOUS NE LUI METTREZ PAS DE BÂTONS DANS LES ROUES!

SLAM

JE SUIS DÉSOLÉ DE VOUS AVOIR ENTRAÎNÉS LÀ-DEDANS...

CE N'EST PAS DE VOTRE FAUTE PROFESSEUR. CES CRIMINELS DOIVENT ÊTRE ARRÊTÉS!

OUI... ET QUI IRA AVERTIR LES AUTRES QUE LES OURS SONT MAINTENANT EN DANGER?

PENDANT CE TEMPS, *NICKY* ET *VIOLETTE* NE RÉALISENT PAS LE DANGER QUI SE DIRIGE VERS ELLES...

AVEC CE FESTN DE FRUITS, NOS AMIS REVIENDRONT À EUX-MÊMES EN UN RIEN DE TEMPS!

EST-CE QUE TU ENTENDS CES VOIX, *NICKY*?

ELLES ME SEMBLENT FAMILIÈRES...

QU'EST-CE QUE..

!!!

ALLEZ LES AMIS! LORSQUE NOUS AURONS TROUVÉ CES OURS, NOUS DEVRONS LES ATTRAPER!

IL ME SEMBLE QUE VANILLA A DIT QU'ELLE NE FERAIT PAS D'EXCURSION EN FORÊT!

IL EST ÉVIDENT QUE SON ALTRUISME L'EMPORTE SUR N'IMPORTE QUELLE SORTE DE PARESSE! HI! HI!

NOUS DEVONS AVERTIR DOCTEURE OLLY!

LES OURS SONT EN DANGER! ILS DOIVENT PARTIR D'ICI!

QUOI?

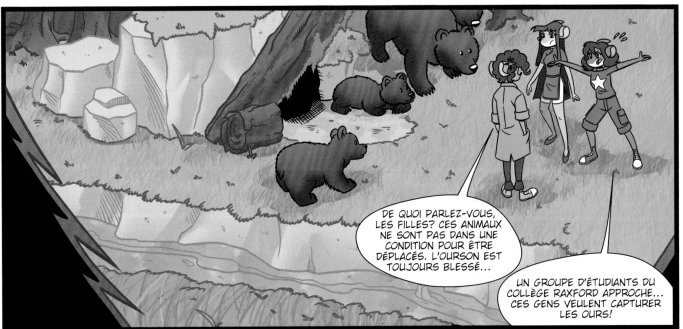

DE QUOI PARLEZ-VOUS, LES FILLES? CES ANIMAUX NE SONT PAS DANS UNE CONDITION POUR ÊTRE DÉPLACÉS. L'OURSON EST TOUJOURS BLESSÉ...

UN GROUPE D'ÉTUDIANTS DU COLLÈGE RAXFORD APPROCHE... CES GENS VEULENT CAPTURER LES OURS!

CAPTURER LES OURS?! COMMENT PENSENT-ILS RÉUSSIR QUELQUE CHOSE DU GENRE!

C'ÉTAIT L'IDÉE DE VANILLA!

« EXACTEMENT, MA CHÈRE! »

CES ANIMAUX DOIVENT ÊTRE ARRÊTÉS! TOUTE L'ÎLE EST EN DANGER!

C'EST NOUS!

QUOI!?!

NOUS SOMMES ARRIVÉS ICI EN SUIVANT CES DEUX TRAVAILLEURS... NOUS ÉTIONS ICI QUAND ILS VOUS ONT FAITS PRISONNIERS. NOUS AVONS DÉCIDÉ D'ATTENDRE LE BON MOMENT POUR VOUS LIBÉRER.

OUAIS... VIC A PROPOSÉ QUE NOUS NOUS DÉGUISIONS EN TRAVAILLEURS. LE MOINS QUE L'ON PUISSE DIRE, C'EST UNE BRILLANTE IDÉE!

IL FAUT FAIRE PAYER CES CRIMINELS!

-=GRR!=-

EN CE MOMENT, NOUS AVONS UN AUTRE PROBLÈME... NOUS AVONS ÉCOUTÉ LES TRAVAILLEURS ET AVONS APPRIS QU'ILS ONT L'INTENTION DE SCELLER CE CÔTÉ DU BARRAGE...

... ET DE FAIRE EXPLOSER LES ROCHES DE L'AUTRE CÔTÉ.

POUR FAIRE CELA JUSTE AU BON MOMENT, ILS UTILISENT UN ORDINATEUR POUR VERROUILLER LE BARRAGE ET DÉCLENCHER LE DÉTONATEUR...

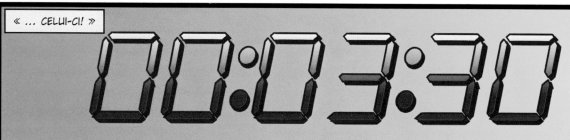

« ... CELUI-CI! »

00:03:30

MAIS, C'EST UN COMPTE À REBOURS!

PAULINA, SHEN, VOUS ÊTES LES EXPERTS DES ORDINATEURS... POUVEZ-VOUS L'ARRÊTER?

LES ROCHES EXPLOSERONT DANS TROIS MINUTES!

NOUS N'AVONS PAS BEAUCOUP DE TEMPS, MAIS...

NOUS FERONS DE NOTRE MIEUX!

PAS SI VITE!

SLAM

JE NE SAIS PAS COMMENT VOUS VOUS ÊTES LIBÉRÉS, MAIS JE NE VOUS LAISSERAI PAS TOUT GÂCHER!

JE VOUS PRÉVIENS, JE NE VOUS LAISSERAI PAS ABUSER DE NOUS DAVANTAGE!

AH, OUI? QU'ALLEZ-VOUS FAIRE?

JE NE LE CROIS PAS! QUI PEUT CONFIRMER QU'IL EST VRAIMENT LE FILS DE MME DE VISSEN?

VOUS AVEZ RAISON! PARFOIS, NOUS NE LE CROYONS PAS, NOUS-MÊMES!

HÉ, QU'EST-CE... ?!

JE CONNAIS UN PROFESSEUR QUI N'ENCOURAGE PAS CELA... MAIS BON TRAVAIL, COLETTE!

VOUS, LÀ-BAS! FAITES QUELQUE CHOSE! AIDEZ-MOI!

EN FAIT, JE COMMENCE À PENSER QU'ILS ONT RAISON, PATRON...

OUI, JE N'AI JAMAIS AIMÉ L'IDÉE DE DÉTRUIRE LE BARRAGE...

BIEN DIT, JE SAVAIS QUE NOUS POURRIONS VOUS CONVAINCRE!

ALORS, AVEZ-VOUS RÉUSSI?! SOMMES-NOUS SAUVÉS?! ALLEZ, DITES!

PAMELA, SI TU CONTINUES AINSI, CE SONT TES NERFS QUI VONT EXPLOSER!

PAULINA, REGARDE!

IL FAUT STOPPER LE COMPTEUR, MAINTENANT!

C'EST COMPLÈTEMENT FOU! CAPTURER UNE FAMILLE D'OURS?!

C'EST ABSURDE! COMMENT AVEZ-VOUS PU ALLER DE L'AVANT AVEC LE PLAN DE VANILLA?

HMM... EN FAIT... JE...

« JE NE SAVAIS PAS QUE VIOLETTE POUVAIT ÊTRE SI FERME! »

LORSQU'IL EST QUESTION DE DÉFENDRE LA NATURE, LES TÉA SISTERS N'ONT PEUR DE RIEN!

N'AIE PAS PEUR, PETIT... PERSONNE NE TE FERA DE MAL!

OK! CE BAVARDAGE A ASSEZ DURÉ... LAISSEZ-MOI PASSER!

WHUMP

HÉ!

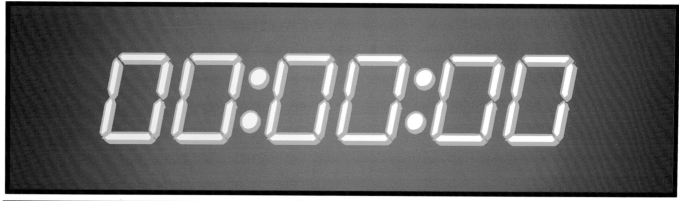

QUE DEVRAIT-
IL SE PASSER
EXACTEMENT?

SELON LE BRUIT, JE DIRAIS QUE
L'EAU S'ÉCOULE DANS LA CHUTE...
DE L'AUTRE CÔTÉ!

ATTENDEZ JUSTE UNE
MINUTE... QUELLE IMPATIENCE!
CELA FAIT PARTIE DE LA
BEAUTÉ DU « DIRECT »!

J'ESPÈRE QUE
TU AS UNE BONNE
EXPLICATION, VANILLA!
POURQUOI EST-CE QUE LE
MUR DE ROCHE EST TOUJOURS
INTACT! JE FAIS UNE TRÈS
MAUVAISE IMPRESSION!

QUELQU'UN A DÛ INTERFÉRER AVEC NOS PLANS POUR LA CHUTE! JE PARIE QUE CE SONT CES COINCÉES DE TÉA SISTERS...

PAMELA ET VIC ONT RÉUSSI! ILS ONT SAUVÉ LA CHUTE DANS LES BOIS!

JE SUIS SI HEUREUSE!

C'ÉTAIT UN PLAN PARFAIT ET TU LES AS LAISSÉES LE RUINER!

MA CHÈRE MAMAN, C'EST EXACTEMENT POUR CELA QUE JE T'APPELLE! PRENDS TON HÉLICOPTÈRE ET EMMÈNE LES JOURNALISTES ICI!

« LA FAMILLE DE VISSEN SAUVERA L'*île des Baleines* DES OURS EXTRÊMEMENT DANGEREUX... NOUS SERONS DES HÉROS DANS LES MÉDIAS! »

FUP

FUP

FUP

JE SAVAIS QUE NOUS VOUS TROUVERIONS ICI... EXACTEMENT OÙ J'AI VU L'OURSON!

BONJOUR LES AMIS! JE SUIS HEUREUSE DE VOUS VOIR!

NOUS AVONS TELLEMENT À TE RACONTER!

JE SUIS IMPATIENTE D'EN SAVOIR PLUS!

OH, OUI! PARTICULIÈREMENT, EN CE QUI CONCERNE TES DEUX ADMIRATEURS! N'EST-CE PAS, PAMELA?

ENTRE SHEN ET VIC, JE DIRAIS QUE NOTRE PAM A L'EMBARRAS DU CHOIX!

OH! ARRÊTEZ, VOUS DEUX!

JE DOIS ADMETTRE QUE VIC N'EST PAS SI MAL QUE ÇA... NOUS N'AURIONS PAS PU RÉUSSIR SANS LUI!

COMMENT SE PORTE L'OURSON BLESSÉ?

J'AI ÉTÉ CAPABLE DE PANSER SA PATTE, ET MAINTENANT...

ET MAINTENANT, CES ANIMAUX VIENNENT AVEC MOI!

VOUS NE SOUHAITERIEZ PAS QUE LES HABITANTS DE L'ÎLE SOIENT MIS EN DANGER PAR UNE FAMILLE D'OURS AGRESSIFS, N'EST-CE PAS?

QUELS OURS? IL N'Y EN A AUCUN ICI!

MAIS, C'EST IMPOSSIBLE!

POURRAIS-TU M'EXPLIQUER CETTE BLAGUE?!

MAIS... JE TE LE DIS, ILS ÉTAIENT ICI IL Y A UN INSTANT!

HÉ, REGARDEZ!

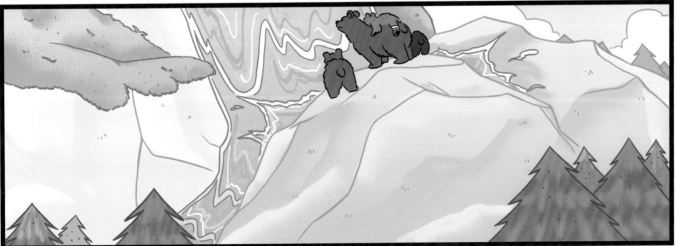

SUR L'*île des Baleines*, IL SE PRODUIT QUELQUE CHOSE D'ÉTONNANT ENTRE LA FIN DE L'ÉTÉ ET LE DÉBUT DE L'AUTOMNE!

LES VANNES DU BARRAGE AU SOMMET DE LA MONTAGNE SONT OUVERTES POUR QUE L'EAU PUISSE S'ÉCOULER DANS LES CHUTES ET RANIMER LA RIVIÈRE QUI TRAVERSE LES BOIS.

Docteure Olly est la vétérinaire de l'île des Baleines. Elle est l'experte lorsqu'il s'agit de prendre soin des animaux. Elle ne laisse rien ni personne se mettre dans son chemin lorsqu'il est question de ses patients!

GROOOWL!

CES ANIMAUX SONT UN DANGER POUR TOUTE L'ÎLE! VOUS DEVEZ LES ATTRAPER AVANT QU'ILS NE S'APPROCHENT DAVANTAGE ET QU'ILS VIENNENT DANS LE VILLAGE!

CE SONT LES OURS QUI SONT EN DANGER, VANILLA... QUELQU'UN A DÛ LES ATTAQUER...

NOUS DEVONS ALLER DANS LA FORÊT ET AIDER CETTE FAMILLE D'OURS!